科学実験対決漫画

実験対決
㊽ 放射性物質の対決

내일은 실험왕 ㊽

Text Copyright © 2019 by Story a.

Illustrations Copyright © 2019 by Hong Jong-Hyun

Japanese translation Copyright © 2024 Asahi Shimbun Publications Inc.

All rights reserved.

Original Korean edition was published by Mirae N Co., Ltd.(I-seum)

Japanese translation rights was arranged with Mirae N Co., Ltd.(I-seum)

through VELDUP CO.,LTD.

科学実験対決漫画

実験対決
㊽ 放射性物質の対決

文：ストーリーa. 絵：洪鐘賢

目次(もくじ)

第1話 宇宙を支配する強い力　12
[科学ポイント] 重力、電磁気力、弱い力、強い力
理科実験室① 電子レンジで蛍光灯を点灯させる　30

第2話 暗闇の中の微かな光　32
[科学ポイント] 蛍光物質、光の波長、X線
理科実験室② 歴史の中の科学
　　　　　　　過去に起きた原子力発電所事故　56
G博士の実験室1　放射性廃棄物　57

第3話 準決勝1組目　58
[科学ポイント] 放射能、自然放射線、人工放射線、ウィルソンの霧箱
理科実験室③ 生活の中の科学　放射線のさまざまな利用例　84

第4話 ついに始まった分裂　86
[科学ポイント] ウラン235、原子力発電
理科実験室④ ラドン濃度測定実験　108

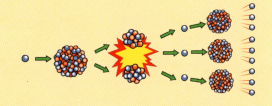

第5話　片思いの失敗、あるいは……。　110

科学ポイント　原発事故、原子力発電所の5重の壁

理科実験室⑤　対決の中の実験
　　　　　　　霧箱で放射線を確認　136

G博士の実験室2　放射年代測定　139

第6話　韓国Bチームの唯一の弱点　140

科学ポイント　放射性崩壊、半減期、原発事故の過程

理科実験室⑥　実験対決豆知識　放射線の定義と危険性　164

登場人物

ウジュ
所属：韓国代表実験クラブBチーム
観察内容・チームの雰囲気を左右する少年。
・ラニにあげるプレゼントを求めて、日が暮れて雨が降る中、湖の中を探し回る。
観察結果：自分の片思いが失敗に終わるかもしれないという現実に直面し、深い悲しみと挫折を味わう。

ウォンソ
所属：韓国代表実験クラブBチーム
観察内容・拒絶の意思をきっぱりと表明できる決断力のあるリーダー。
・不満があるときは、口をギュッと結んで瞳をキョロキョロと動かす、かわいいクセがある。
観察結果：他人には冷たい態度をとるが、チームメイトの頼みは仕方ないな、というふりをしつつも聞いてあげる。

ラニ
所属：韓国代表実験クラブBチーム
観察内容・いつもチームメイトを温かく思いやる優しい少女。
・普段と違うウジュの様子を察して不安になる。
観察結果：最後になるかもしれない準決勝の対決を前に、すべての瞬間をより大切に思っている。

ジマン
所属：韓国代表実験クラブBチーム
観察内容：いろいろなことで忙しいチームメイトのために、1人で実験の準備をきちんと整えておく少年。
・リズの対決を誰よりも全力で応援する。
観察結果：カリスマ性のあるリズの姿を見て改めてドキドキする。

トーマス
所属：アメリカ代表実験クラブチーム
観察内容：世界一完璧という評判を得るほどのチームを率いるリーダー。
・ときに冷酷と思えるほどの鋭い分析と理性的な判断をする。
観察結果：優勝のためなら、他のチームの弱点を遠慮なく攻撃する。

その他の登場人物
❶ イギリスチームのリーダーとしてカリスマ性を発揮するリズ。
❷ 完璧だと信じていた自分の判断を見直すチョン・ジェウォン。

第1話 宇宙を支配する強い力

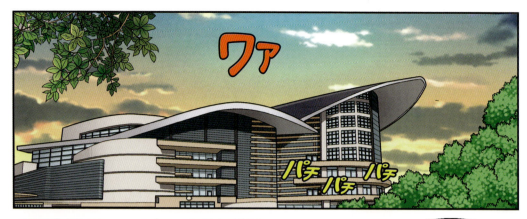

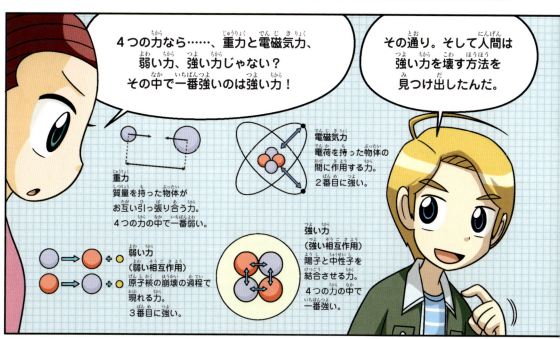

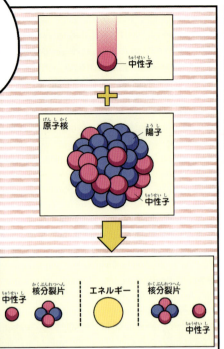

実験対決　理科実験室❶

実験　電子レンジで蛍光灯を点灯させる

　蛍光灯を電子レンジに入れて作動させると、何が起こるでしょうか？ すぐにピカピカと蛍光灯に明かりがつきます。もちろん、そのためには適切な実験方法に従うことが大切です。では、なぜ蛍光灯に明かりがつくのでしょうか？ 電子レンジと蛍光灯を利用した簡単な実験を通じて、関連する原理を理解しましょう。ただし、この実験は火災や火傷などの恐れがありますので、おうちでは行わないようにしましょう。

使用する物　蛍光灯 、水 、キッチンミトン 、電子レンジ 、
　　　　　　電子レンジで使用可能なコップ

❶ 空のコップに蛍光灯のソケットがつかる程度の水を入れます。

❷ 水が入ったコップにソケットを下に向けて蛍光灯を入れます。

❸ 水と蛍光灯が入ったコップを電子レンジに入れます。

❹ 電子レンジを2秒作動させます。

❺ 電子レンジを作動させ、ピカッと明かりがつく蛍光灯を観察します。さらに、繰り返し電子レンジを作動させる場合、蛍光灯が過熱して割れる危険があるので、蛍光灯を冷ましてから電子レンジを作動させます。

どうしてそうなるの？

電子レンジはマイクロ波を利用して食べ物を温める調理器具で、蛍光灯は真空ガラス管の中で紫外線と蛍光物質を反応させることで光る照明器具です。電子レンジの中で蛍光灯がついた理由は、電子レンジのマイクロ波が蛍光灯内の物質に影響を与えたからです。電子レンジから出たマイクロ波が蛍光灯の電子を放出させ、放出された電子は蛍光灯の中にある水銀原子とぶつかり、紫外線を発生させます。そして、この紫外線は蛍光灯の内側に塗られた蛍光物質と反応して、目に見える光、つまり可視光線になります。マイクロ波と紫外線、可視光線はすべて電磁波の一種です。電磁波は電場と磁場が一定の変化を繰り返しながら空間に広がっていく波動のことで、波長の長さによってマイクロ波、赤外線、可視光線、ガンマ線などに分かれます。この内、ガンマ線は放射性物質から出る放射線の1つで、ガンを治療したり、食品の滅菌などにも利用されています。

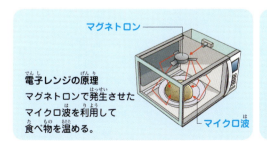

電子レンジの原理 マグネトロンで発生させたマイクロ波を利用して食べ物を温める。

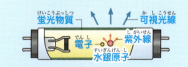

蛍光灯の原理 電子と水銀原子が衝突することで紫外線を発生させ、紫外線は蛍光物質と反応して可視光線になる。

第2話 暗闇の中の微かな光

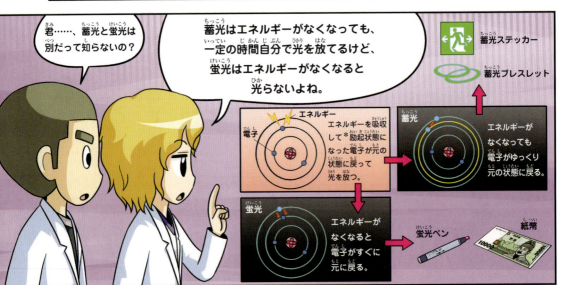

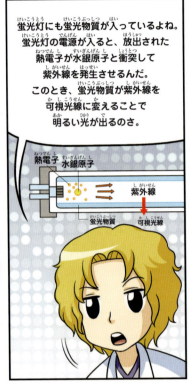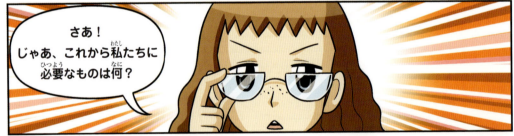

＊蛍光増白剤：日本では、食品に接する紙やトイレットペーパーなどへの使用は禁止されています。

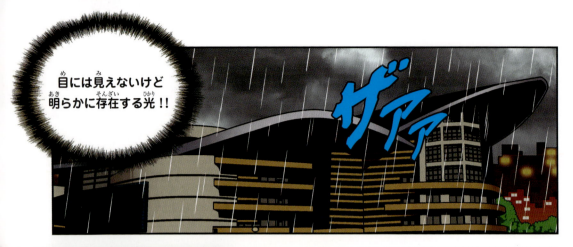

過去に起きた原子力発電所事故

　原子炉の中でウラン燃料を核分裂させ、電気を作る原子力発電所は、石炭や石油などの化石燃料に比べて発電コストが低く、エネルギー効率が高いというメリットがあるとされますが、放射性廃棄物の発生や放射能漏れなどの問題点もあります。そのため、原子力発電所で事故が起きれば、恐ろしい大惨事につながります。実際に発生した原発事故の事例を見てみましょう。

チェルノブイリ原発事故

　1986年4月、旧ソ連ウクライナのチェルノブイリ原子力発電所で恐ろしい事故が発生しました。原子炉の試験稼働中、数回の爆発とともに原子炉とその建屋が崩壊したのです。続いて火災が発生し、大量の放射性物質が大気中に放出されました。この事故により、多くの労働者や住民が放射線に晒されて命を失い、事故の後始末や汚染除去作業に従事した人々の間で健康被害が起きたり、周辺地域の子どもたちに甲状腺ガンの発症が増えたりなどの大きな被害が発生しました。

チェルノブイリ原子力発電所の爆発現場

福島第一原子力発電所事故

　2011年3月、大規模な地震と津波により、福島第一原子力発電所で事故が発生しました。発電所が浸水して全ての電源を失い、原子炉の冷却装置が作動しなくなりました。これにより、原子炉建屋で水素爆発や火災が起こり、放射性物質を含む気体や汚染水が大量に放出されました。原発周辺は避難指示区域に指定され、約16万人が福島県の内外に避難しました。その後、除染が行われましたが、いまだに約2万6000人（2024年2月現在）が避難生活を続けています。

福島第一原子力発電所の構内

第3話

準決勝1組目

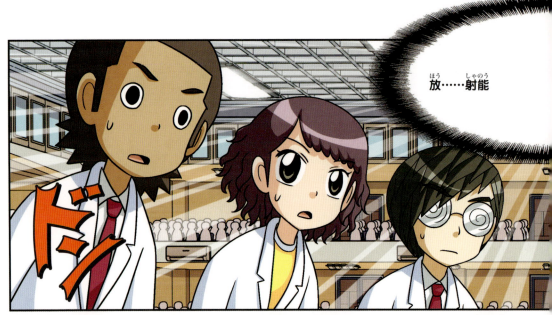

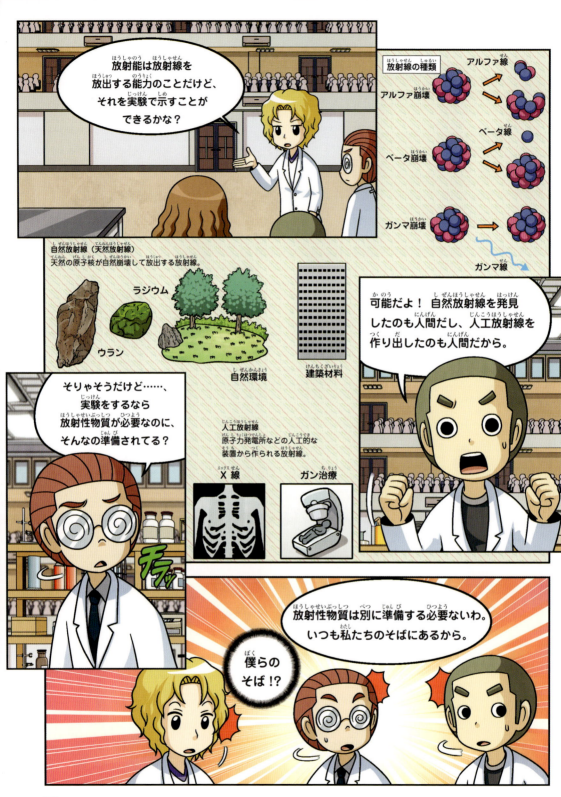

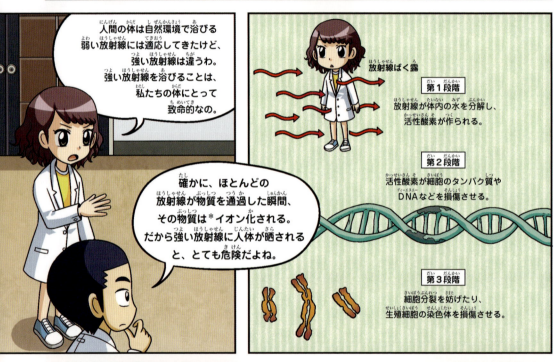

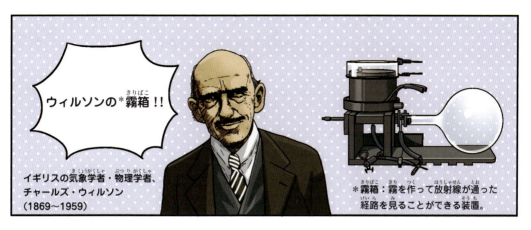

☆本の感想、ファンクラブ通信への投稿など、好きなことを書いてね！

ご感想を広告、書籍のPRに使用させていただいてもよろしいでしょうか？
1．実名で可　　2．匿名で可　　3．不可

郵便はがき

1048011

ここに切手を貼ってね！

朝日新聞出版　生活・文化編集部

「サバイバル」「対決」「タイムワープ」シリーズ　係

☆**愛読者カード**☆シリーズをもっとおもしろくするために、みんなの感想を送ってね。
毎月、抽選で10名のみんなに、サバイバル特製グッズをあげるよ。

☆**ファンクラブ通信への投稿**☆このハガキで、ファンクラブ通信のコーナーにも投稿できるよ！
たくさんのコーナーがあるから、いっぱい応募してね。

ファンクラブ通信は、公式サイトでも読めるよ！　サバイバルシリーズ 検索

お名前		ペンネーム	※本名でも可
ご住所	〒		
電話番号		シリーズを何冊もってる？	冊
メールアドレス			
学年	年	年齢　才	性別
コーナー名	※ファンクラブ通信への投稿の場合		

※ご提供いただいた情報は、個人情報を含まない統計的な資料の作成等に使用いたします。その他の利用について詳しくは、当社ホームページ https://publications.asahi.com/company/privacy/ をご覧下さい。

実験対決　理科実験室❸　生活の中の科学

放射線のさまざまな利用例

　放射線は環境を汚染し、人体に有害な影響を及ぼすという負の側面が強調されることも多いですが、悪い影響を及ぼすばかりではありません。具体的な目的を持って人工的に作られた放射線は、さまざまな分野で有益に使われています。放射線がどのような分野でどう利用されているのか、さまざまな事例とともに見てみましょう。

医療分野

　放射線が利用される最も代表的な分野は医療です。「放射線医学」という分野があるほどです。放射線はさまざまな病気を検査して診断したり、病気を治療したりするのにも使われます。

代表的なものに「X線検査」や「CT検査」、「放射線治療」などがあります。X線検査はX線を人体に透過させて人体の内部構造を撮影するもので、結核などの肺の病気や、手足、脊椎などの骨折を診断するのに活用されます。CT検査は人体内部をさまざまな断層画像で見せてくれる技術で、腫瘍やガンなど、さまざまな病気を診断したり、治療の効果を把握したりすることができます。放射線治療は、ガン細胞に放射線を当ててガン細胞の増殖を防ぎ、ガン細胞を消滅させる方法のことです。その他にも放射線は注射器や包帯、手術用器具などの殺菌処理にも活用されています。

放射線治療　強力な放射線を照射してガン細胞の増殖を防ぎ、消滅させる。

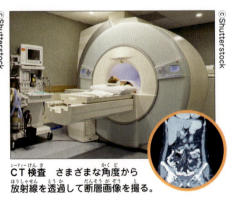

CT検査　さまざまな角度から放射線を透過して断層画像を撮る。

産業と環境分野

放射線は、産業分野でも製品の品質を検査したり、改良したりするなど、さまざまな目的で利用されています。最も代表的なのは、製品に放射線を透過して欠陥を見つける「放射線透過試験」です。製品を分解せずに製品の内部構造を見たり、欠陥を見つけたりすることができ、航空機や電子製品の欠陥、パイプや橋梁の溶接部分の検査などをするのに活用されています。この他にも放射線を利用して製品の密度や厚さを測定したり、放射線処理をして強化されたプラスチックを生産したりします。

放射線透過試験　放射線を透過させ、パイプの溶接部分を検査している。

環境分野では、下水に沈む汚染物質の*スラッジを処理するのに放射線を利用することができます。スラッジに放射線を当てて有害な微生物を取り除くのです。また、放射線を利用して大気中に漂う汚染物質の量を測定することもあります。

＊スラッジ：下水や工場排水などで発生する泥状の物質。日本では、放射線を使ってスラッジを処理するのは一般的ではありません。

農業と食品分野

放射線は農業や食品分野にも利用されます。放射線で農産物の品種を改良したり、食品の安全性を高めたりすることができるのです。最も代表的なものに「放射線育種技術」と「*放射線照射食品」があります。植物は自然放射線によって、突然変異を起こすことがあります。放射線育種技術はこのような現象を活用する方法で、植物の種子や苗木に放射線を当てて突然変異を起こし、その過程を通じて優秀な品種に改良するものです。日本では1950年代から利用されており、病気や冷害に強い米が開発されるなどしています。放射線照射食品は、食品に放射線を当てて食品の安全性と保管性を高めるもので、これによって大腸菌やサルモネラ菌といったさまざまな病原菌をなくしたり、腐敗や発芽を抑制したりして食品を長い間保管し、安全に食べられるようにします。

＊放射線照射食品：日本で放射線の照射が許可されているのはジャガイモの発芽防止のみで、そのほかは食品衛生法により禁止されています。

第4話

ついに始まった分裂

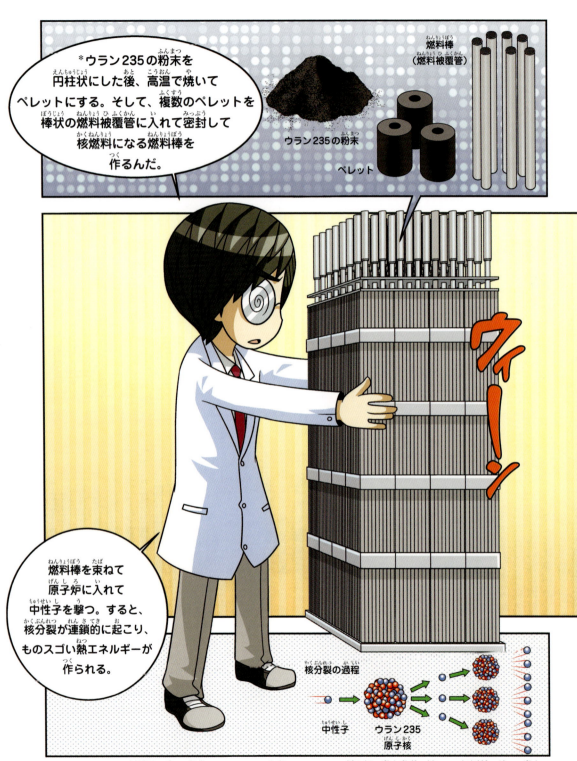

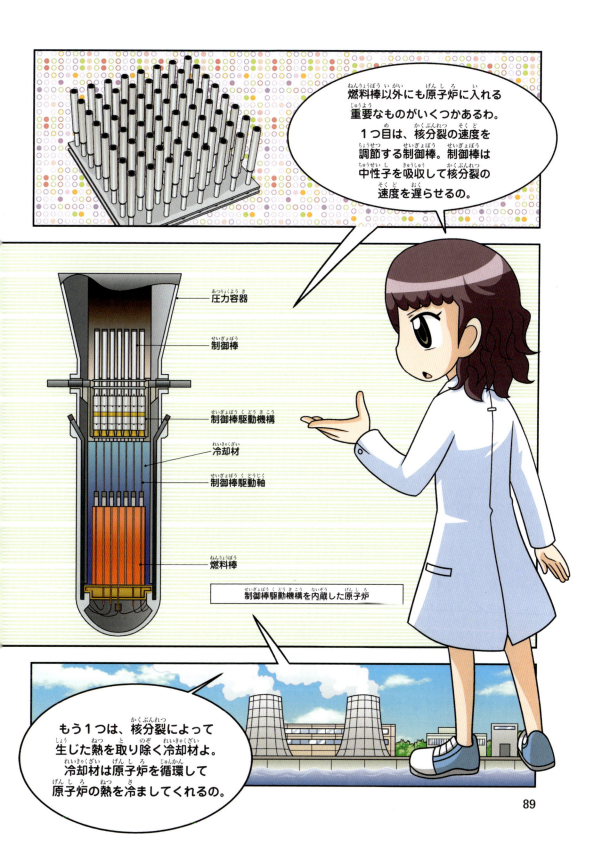

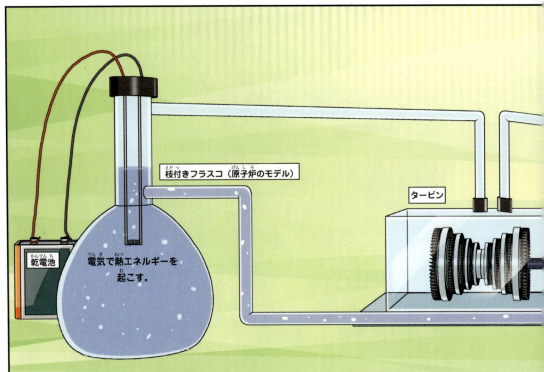

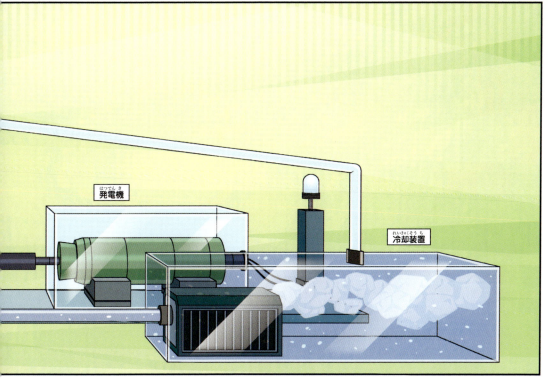

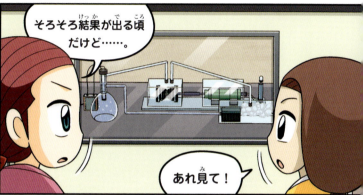

ラドン濃度測定実験

実験報告書

実験テーマ	測定器を利用して室内のラドンの濃度を測定し、ラドンの定義と危険性を学びましょう。
準備する物	❶ラドン測定器　❷筆記用具　❸記録紙 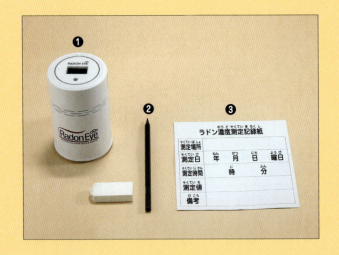
実験予想	室内のラドンの濃度が測定できるでしょう。
注意事項	❶測定の前に、部屋の戸や窓を閉めます。 ❷測定器がエアコンや暖房器具、換気扇などの影響を受けないように気をつけます。 ❸窓から90cm以上、床から50cm以上離れた場所に測定器を設置します。

実験方法

❶ 部屋の戸や窓をすべて閉めます。
❷ テーブルの上にラドン測定器を載せて、電源をつなぎます。
❸ 測定が終わったら、ラドン測定器の測定値を記録します。

測定器の種類によって測定方法や所要時間が異なることがあります。

実験結果

ラドンの濃度が19Bq/m³と測定されました。

ラドンは床の隙間からも入り込むんだ。

どうしてそうなるの？

ラドンは放射線を出す元素で、色やにおい、味はなく、密度が高くて空気より重いのが特徴です。大気や岩石、土壌、地下水など、地球上のどこにでも存在します。しかし、高濃度のラドンに晒されることは非常に有害です。呼吸を通じて人体に入ったラドンは、肺の中で放射線を出し続け、肺ガンを引き起こすこともあります。われわれの周辺では、ラドンを含んだ材料で作られた建物や家具などからしばしばラドンが検出され、特に割れた壁の隙間や換気のよくない地下室で高濃度のラドンが検出されることもあります。WHO（世界保健機関）の屋内ラドン濃度の勧告基準は、100Bq/m³で、この基準を超過したら直ちに空気を循環させたり、ラドンの流入を防ぐために壁や床の隙間を補強材などで埋めたりすることが推奨されています。

マットレスからも高い数値のラドンが検出されたこともあるんだ。

第5話

片思いの失敗、あるいは……。

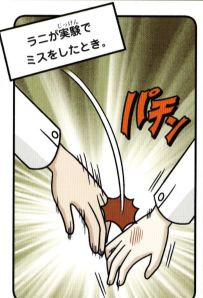

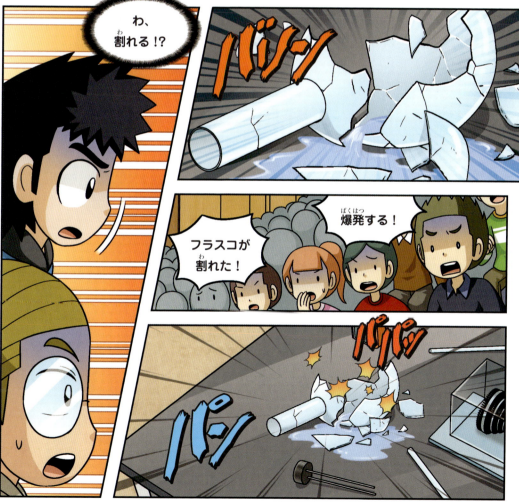

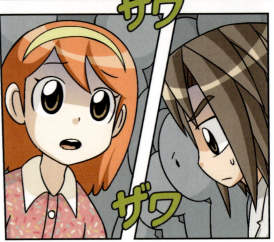

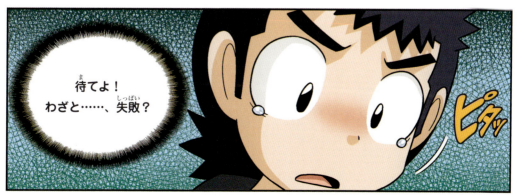

＊半減期：放射性物質が崩壊を繰り返し、その数が半分になるまでの時間。

実験対決 理科実験室❺ 対決の中の実験

霧箱で放射線を確認

実験報告書

実験テーマ
霧箱を作って、目に見えない放射線を確認し、放射線を理解する。

使用する物

❶エタノール ❷ふたのある観察容器 ❸ドライアイス
❹スポンジテープ ❺LEDライト ❻ハサミ ❼ピンセット
❽スポイト ❾ラジウムセラミックボール用の台
❿ラジウムセラミックボール ⓫発泡スチロールの台
⓬黒い色紙 ⓭作業用手袋

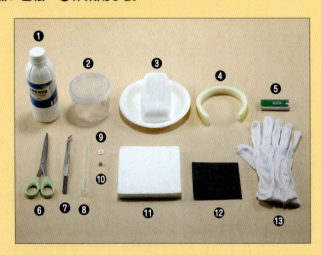

実験予想
霧箱を利用して放射線を観察できるでしょう。

注意事項
❶ ラジウムセラミックボールやドライアイスを触るときは、必ず作業用手袋をつけ、ピンセットを利用します。
❷ エタノールは火気の周りに置いてはいけません。
❸ ラジウムセラミックボールは絶対に壊したり割ったりしてはいけません。

実験方法

❶ 観察容器のふたの底に黒い紙を切って貼ります。

❷ 観察容器の内側の下部にスポンジテープを切って貼ります。

❸ スポンジテープにエタノールを十分に染み込ませます。

❹ 観察容器のふたにラジウムセラミックボール用の台を置き、その上にラジウムセラミックボールを置きます。

❺ 発泡スチロールの台にドライアイスを載せ、その上に観察容器のふたを載せます。

❻ 観察容器とふたをよく閉めます。

実験対決　理科実験室❺　対決の中の実験

❼ 周辺の照明を暗くした後、LEDライトをつけ内部を観察します。

実験結果

ラジウムセラミックボールの周囲に薄くて微かな線が見えます。

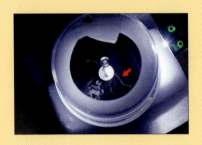

どうしてそうなるの？

実験でラジウムセラミックボールの周囲に見える薄くて微かな線は放射線が通った跡です。放射線は放射能を持つ元素の崩壊によって物体から放出される粒子で、粒子のサイズがとても小さく、速度もとても速いので、目で見るのは難しいです。しかし、イギリスの気象学者・物理学者チャールズ・ウィルソンが1911年に発明した霧箱を利用すれば、放射線が通った跡を目で見ることができます。まず、観察容器の中のスポンジテープに染み込ませたエタノールは、常温で気体に変わります。そして、気体となったエタノールはドライアイスによって温度が低くなった観察容器の下の部分で過飽和状態になります。このとき、ラジウムセラミックボールから放出された放射線がこの部分を通過すると、気体状態のエタノールが凝縮され、跡を残すのです。

ウラン鉱石から出る放射線　ウラン鉱石から出るアルファ線を霧箱で可視化できる。

©朝日新聞社

第6話

韓国Bチームの唯一の弱点

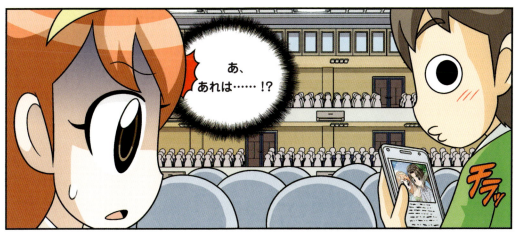

実験対決　理科実験室❻　実験対決豆知識

放射線の定義と危険性

　ニュースや新聞記事などを通じて放射線と関連した話はよく耳にしますが、いざ放射線の定義やその危険性となると、漠然としか知らない人が多いのではないでしょうか。放射能や放射性物質など、放射線に関して学び、放射線が持つ危険性にはどのようなものがあるのか一緒に見ていきましょう。

放射線・放射能・放射性物質

　物質を構成する基本粒子である「原子」は、陽子と中性子が結合した「原子核」と、その周囲に存在する「電子」からなっています。原子核は、陽子と中性子の割合によって、安定した状態であったり、不安定な状態であったりします。不安定な状態の原子核は、粒子や電磁波を放出して安定化しよ

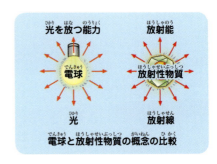

電球と放射性物質の概念の比較

うとしますが、安定化のために原子核が分裂する現象を「核分裂」と言います。その際に放出された粒子や電磁波を「放射線」と言い、放射線を放出する物質を「放射性物質」、放射線を放出する能力や性質を「放射能」と言います。電球になぞらえて説明すると、電球から出る光は放射線、電球そのものは放射性物質、光を出す能力は放射能だと理解することができます。

放射線の分類

　放射線には自然界にある「自然放射線」と人工的に作られた「人工放射線」があります。また、エネルギーを電磁波として放出する「電磁放射線」と粒子を放出する「粒子線」に分けられます。電磁放射線にはガンマ線とX線の2種類、粒子線にはアルファ線、ベータ線、中性子線の3種類があります。

トウモロコシの放射線測定　農作物にも微量の自然放射線が含まれている。

放射線の危険性

現在、放射線は原発や医療、農業、工業など、さまざまな分野で活用されています。一方で、放射性物質を含むあらゆる廃棄物や、放射能漏れなどによって環境や生物が汚染されることが起きています。放射線が物質を通過すると、物質の原子や分子がイオン化し、化学結合が切れます。それによって機械が故障したり、物が壊れたりします。生物の場合も同じです。放射線が生物を通過すると、生物の細胞や遺伝情報を変化させて生命を脅かします。このように放射線に晒されて被害を受けることを「被ばく」と言い、被ばくは放射性物質に人体が直接晒されたり、呼吸を通じたばく露、食べ物を通じたばく露など、さまざまなケースに分けられます。被ばくは人体にさまざまな影響を及ぼしますが、そのうち最も代表的なものは遺伝子の本体であるDNAを損傷させるというものです。DNAが損傷すると、遺伝子では突然変異が起きたり、細胞が死んだりしますが、これによって火傷、脱毛、皮膚発疹が生じ、さらにガンを発症したりします。被ばくが非常に深刻な場合は、その場で急死することもあります。したがって、大事なことは、放射線に対する安全管理や研究、被ばくに対する予防や治療など、放射線を正しく活用するための企業や国の努力だといえるでしょう。

被ばくで染色体が変形することもあるの。

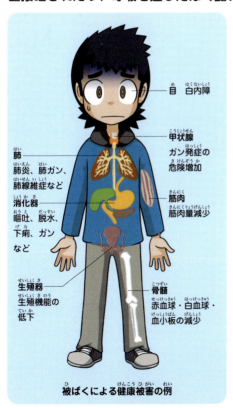

被ばくによる健康被害の例

- 目：白内障
- 甲状腺：ガン発症の危険増加
- 肺：肺炎、肺ガン、肺線維症など
- 消化器：嘔吐、脱水、下痢、ガンなど
- 筋肉：筋肉量減少
- 生殖器：生殖機能の低下
- 骨髄：赤血球・白血球・血小板の減少

日本語版編集協力　東京大学サイエンスコミュニケーションサークルCAST
　　　　　　　　　秋光信佳（東京大学アイソトープ総合センター教授）
　　　　　　　　　（あきみつのぶよし）（とうきょうだいがく　　　　　　そうごう　　　　きょうじゅ）

⑱ 放射性物質の対決
　　（ほうしゃせいぶっしつ）（たいけつ）

2024年8月30日　第1刷発行

著　者　文　ストーリーa. ／絵　洪鐘賢
　　　　　　　　　　　　　　　　（ホンジョンヒョン）
発行者　片桐圭子
発行所　朝日新聞出版
　　　　〒104-8011
　　　　東京都中央区築地5-3-2
　　　　編集　生活・文化編集部
　　　　電話　03-5541-8833（編集）
　　　　　　　03-5540-7793（販売）

印刷所　株式会社リーブルテック
ISBN978-4-02-332335-3
定価はカバーに表示してあります

落丁・乱丁の場合は弊社業務部（03-5540-7800）へ
ご連絡ください。送料弊社負担にてお取り替えいたします。

Translation：HANA Press Inc.
Japanese Edition Producer：Satoshi Ikeda
Special Thanks：Kim Da-Eun / Lee Ah-Ram
　　　　　　　　（Mirae N Co.,Ltd.）

ファンクラブ通信は、サバイバルの公式サイトでも読めるよ！

みんなからのお手紙、楽しみにしてるよ～♪

ゆうびんもメールもドシドシ！

読者のみんなとの交流の場「ファンクラブ通信」は、クイズに答えたり、投稿コーナーに応募したりと盛りだくさん。「ファンクラブ通信」は、サバイバルシリーズ、対決シリーズ、ドクターエッグシリーズの新刊に、はさんであるよ。書店で本を買ったときに、探してみてね！

おたよりコーナー 1

みんなが読んでみたい、サバイバルのテーマとその内容を教えてね。もしかしたら、次回作に採用されるかも!?

例 冷蔵庫のサバイバル
何かが原因で、ジオたちが小さくなってしまい、知らぬ間に冷蔵庫の中に入れられてしまう。無事に出られるのか!?（9歳・女子）

おたよりコーナー 2
キミのイチオシは、どの本!?

キミが好きなサバイバル1冊と、その理由を教えてね。みんなからのアツ～い応援メッセージ、待ってるよ～！

例 鳥のサバイバル
ジオとピピの関係性が、コミカルですごく好きです!! サバイバルシリーズは、鳥や人体など、いろいろな知識がついてすごくうれしいです。（10歳・男子）

おたよりコーナー 3

上手い！

みんなが描いた似顔絵を、ケイが選んで美術館で紹介するよ。

例
© Han Hyun-Dong/Mirae N

みんなからのおたより、大募集！

❶コーナー名とその内容
❷郵便番号 ❸住所 ❹名前 ❺学年と年齢
❻電話番号 ❼掲載時のペンネーム（本名でも可）

を書いて、右の宛先に送ってね。
掲載された人には、サバイバル特製オリジナルグッズをプレゼント！

●郵送の場合
〒104-8011 朝日新聞出版 生活・文化編集部
サバイバルシリーズ ファンクラブ通信係

●メールの場合
junior @ asahi.com
件名に「サバイバルシリーズ ファンクラブ通信」と書いてね。

※応募作品はお返ししません。
※お便りの内容は一部、編集部で改稿している場合がございます。

ファンクラブ通信は、サバイバルの公式サイトでも見ることができるよ。

科学漫画サバイバル 検索

「科学漫画サバイバル」シリーズが読めるサイト

サバイバル図書館

お気に入りのタイトルを見つけよう！

いつでも「ためし読み」
「科学漫画サバイバル」シリーズのすべてのタイトルの第1章が読めます

期間限定で「まるごと読み」
サバイバルや他のシリーズが1冊まるごと読めます

最初は大人と一緒にアクセスしてね！

ウェブサイトはこちら！

※読むには、朝日IDとサバイバルメルマガ会員の登録が必要です（無料）

© Han Hyun-Dong /Mirae N